Diabeti

Kochbuch

Einfache und gesunde Diabetiker-Rezepte zur Verbesserung der Ernährung, Low Carb Diabetes Kochbuch für Anfänger

INHALTSVERZEICHNIS

Das folgende Buch wird im Folgenden mit dem Ziel wiedergegeben, möglichst genaue und zuverlässige Informationen zu liefern. Unabhängig davon kann der Kauf dieses Buches als Zustimmung zu der Tatsache gesehen werden, dass sowohl der Herausgeber als auch der Autor dieses Buches in keiner Weise Experten für die darin besprochenen Themen sind und dass jegliche Empfehlungen oder Vorschläge, die hier gemacht werden, nur zu Unterhaltungszwecken dienen. Vor der Durchführung von Maßnahmen, die in diesem Buch empfohlen werden, sollten bei Bedarf Fachleute konsultiert werden.

Diese Erklärung wird sowohl von der American Bar Association als auch vom Committee of Publishers Association als fair und gültig angesehen und ist in den gesamten Vereinigten Staaten rechtsverbindlich.

Die Informationen auf den folgenden Seiten werden im Großen und Ganzen als wahrheitsgemäße und genaue Darstellung von Tatsachen betrachtet, und als solche liegen alle daraus resultierenden Handlungen ausschließlich in der Verantwortung des Lesers, wenn er die Informationen nicht beachtet, verwendet oder missbraucht. Es gibt keine Szenarien, in denen der Herausgeber oder der ursprüngliche Autor dieses Werkes in irgendeiner Weise für Härten oder Schäden haftbar gemacht werden kann, die ihnen nach der Aufnahme der hier beschriebenen Informationen entstehen könnten.

Darüber hinaus dienen die Angaben auf den folgenden Seiten ausschließlich Informationszwecken und sind daher als allgemeingültig zu betrachten. Sie werden ihrer Natur entsprechend ohne Gewähr für ihre dauerhafte Gültigkeit oder Zwischenqualität präsentiert. Die Erwähnung von Warenzeichen erfolgt ohne schriftliche Zustimmung und kann in keiner Weise als Zustimmung des Warenzeicheninhabers gewertet werden.

Einführung

Diabetes mellitus, allgemein nur als Zuckerkrankheit bekannt, ist eine Krankheit, die unseren Stoffwechsel beeinträchtigt. Das vorherrschende Merkmal der Zuckerkrankheit ist die Unfähigkeit, Insulin zu bilden oder zu nutzen, ein Hormon, das Zucker aus unseren Blutzellen in die restlichen Zellen unseres Körpers transportiert. Dies ist für uns von entscheidender Bedeutung, da wir auf diesen Blutzucker angewiesen sind, um unseren Körper anzutreiben und mit Energie zu versorgen. Hoher Blutzucker kann, wenn er unbehandelt bleibt, zu schweren Schäden an Augen, Nerven, Nieren und anderen wichtigen Organen führen. Es gibt zwei Haupttypen von Diabetes, Typ 1 und Typ 2, wobei letzterer mit über 90 Prozent der Diabetiker der häufigste von beiden ist (Centers for Disease Control and Prevention, 2019).

Einfache Caprese-Spieße

Zubereitungszeit: 5 Minuten

Kochzeit: 0 Minute

Portion: 2

Inhaltsstoff:

- 12 Kirschtomaten
- 8 (1-Zoll) Stücke Mozzarella-Käse
- 12 Basilikumblätter
- ¼ Tasse italienische Vinaigrette, zum Servieren

Richtung

1. *Fädeln Sie die Tomaten, den Käse und das Lorbeerblatt abwechselnd durch die Spieße.*
2. *Die Spieße auf einen großen Teller legen und mit der italienischen Vinaigrette begießen. Sofort servieren.*

Ernährung:

230 Kalorien

8,5g Kohlenhydrate

1,9g Ballaststoffe

Gegrillter Tofu mit Sesamkörnern

Zubereitungszeit: 45 Minuten

Kochzeit: 20 Minuten

Portionieren: 6

Inhaltsstoff:

- 1½ Esslöffel brauner Reisessig
- 1 Schalotte
- 1 Esslöffel Ingwerwurzel
- 1 Esslöffel Apfelmus ohne Zuckerzusatz
- 2 Esslöffel natürlich gebraute Sojasauce
- ¼ Teelöffel getrocknete rote Pfefferflocken
- 2 Teelöffel Sesamöl, geröstet
- 1 Packung (397 g) extra-fester Tofu (14 Unzen)
- 2 Esslöffel frischer Koriander
- 1 Teelöffel Sesamsamen

Richtung

1. *Kombinieren Sie Essig, Frühlingszwiebeln, Ingwer, Apfelmus, Sojasauce, rote Pfefferflocken und Sesamöl in einer großen*

Schüssel. Rühren Sie die Mischung gut durch.

2. *Tauchen Sie die Tofustücke in die Schüssel und lassen Sie sie dann 30 Minuten lang im Kühlschrank marinieren.*
3. *Heizen Sie eine Grillpfanne bei mittlerer bis hoher Hitze vor.*
4. *Legen Sie den Tofu mit einer Zange auf die Grillpfanne, bewahren Sie die Marinade auf, und grillen Sie ihn 8 Minuten lang oder bis der Tofu goldbraun ist und auf beiden Seiten tiefe Grillspuren aufweist. Wenden Sie den Tofu nach der Hälfte der Garzeit. Möglicherweise müssen Sie schubweise arbeiten, um eine Überfüllung zu vermeiden.*
5. *Geben Sie den Tofu auf einen großen Teller und bestreuen Sie ihn mit Korianderblättern und Sesamsamen. Servieren Sie ihn mit der Marinade dazu.*

Ernährung:

90 Kalorien

3g Kohlenhydrate

1g Faser

Grünkohl-Chips

Zubereitungszeit: 5 Minuten

Kochzeit: 15 Minuten

Portion: 1

Zutaten:

- ¼ Teelöffel Knoblauchpulver
- Prise Cayennepfeffer nach Geschmack
- 1 Esslöffel kaltgepresstes Olivenöl
- ½ Teelöffel Meersalz, oder nach Geschmack
- 1 (8-Unzen) Bund Grünkohl

Richtung

1. *Bereiten Sie den Ofen auf 180 ºC vor. Legen Sie zwei Backbleche mit Pergamentpapier aus.*
2. *Vermengen Sie Knoblauchpulver, Cayennepfeffer, Olivenöl und Salz in einer großen Schüssel und tunken Sie den Grünkohl in die Schüssel.*
3. *Legen Sie den Grünkohl in einer einzigen Schicht auf eines der Backbleche.*

4. *Legen Sie das Blech in den vorgeheizten Ofen und backen Sie es 7 Minuten lang. Nehmen Sie das Blech aus dem Ofen und geben Sie den Grünkohl in die einzelne Schicht des anderen Backblechs.*
5. *Schieben Sie das Grünkohlblatt zurück in den Ofen und backen Sie es weitere 7 Minuten.*
6. *Sofort servieren.*

Ernährung

136 Kalorien

3g Kohlenhydrate

1,1g Ballaststoffe

thehealthyfamilyandhome

Einfache Deviled Eggs

Zubereitungszeit: 5 Minuten

Kochzeit: 8 Minuten

Portionieren: 12

Zutaten:

- 6 große Eier
- 1/8 Teelöffel Senfpulver
- 2 Esslöffel leichte Mayonnaise

Richtung:

1. *Legen Sie die Eier in einen Topf und gießen Sie dann so viel Wasser hinzu, dass das Ei bedeckt ist. Bringen Sie es zum Kochen und kochen Sie die Eier dann weitere 8 Minuten. Schalten Sie die Hitze aus, decken Sie sie ab und lassen Sie sie 15 Minuten lang ruhen.*
2. *Geben Sie die gekochten Eier in einen Topf mit kaltem Wasser und schälen Sie sie unter dem Wasser.*
3. *Geben Sie die Eier auf einen großen Teller und halbieren Sie sie dann. Entfernen Sie die*

Eigelbe und geben Sie sie in eine Schüssel, dann zerdrücken Sie sie mit einer Gabel.

4. *Geben Sie das Senfpulver, die Mayo, das Salz und den Pfeffer in die Schüssel mit den Eigelben und rühren Sie sie gut durch.*
5. *Löffeln Sie die Eigelbmischung in das Eiweiß auf dem Teller. Sofort servieren.*

Ernährung:

45 Kalorien

1g Kohlenhydrate

0,9g Ballaststoffe

DEVILED
EGGS

Gebratener Grünkohl und Kraut

Zubereitungszeit: 10 Minuten

Kochzeit: 10 Minuten

Portionieren: 8

Zutaten:

- 2 Esslöffel kaltgepresstes Olivenöl
- 1 Bund Blattkohl
- ½ kleiner Grünkohl
- 6 Knoblauchzehen
- 1 Esslöffel natriumarme Sojasauce

Richtung:

1. *Braten Sie das Olivenöl in einer großen Pfanne bei mittlerer Hitze.*
2. *Braten Sie den Mangold in dem Öl ca. 2 Minuten an, oder bis er anfängt zu welken.*
3. *Geben Sie den Kohl hinzu und mischen Sie ihn gut. Stellen Sie die Temperatur auf mittlere bis niedrige Stufe, decken Sie den Topf ab und kochen Sie ihn unter gelegentlichem Rühren 5 bis 7 Minuten, bis das Grünzeug weich ist.*

4. *Den Knoblauch und die Sojasauce unterheben und umrühren. Weitere 30 Sekunden kochen, bis es duftet.*
5. *Vom Herd nehmen, auf einen Teller geben und servieren.*

Ernährung:

73 Kalorien

5,9g Kohlenhydrate

2,9g Ballaststoffe

Gebratener Delicata-Kürbis mit Thymian

Zubereitungszeit: 10 Minuten

Kochzeit: 20 Minuten

Portionieren: 4

Zutaten:

- 1 (1½-Pfund) Delicata-Kürbis
- 1 Esslöffel kaltgepresstes Olivenöl
- ½ Teelöffel getrockneter Thymian
- ¼ Teelöffel Salz
- ¼ Teelöffel frisch gemahlener schwarzer Pfeffer

Richtung:

1. *Bereiten Sie den Ofen auf 400ºF (205ºC) vor. Bereiten Sie ein Backblech mit Pergamentpapier vor und legen Sie es beiseite.*
2. *Geben Sie die Kürbisstreifen, das Olivenöl, den Thymian, das Salz und den Pfeffer in eine große Schüssel und schwenken Sie sie,*

bis die Kürbisstreifen vollständig bedeckt sind.

3. *Legen Sie die Kürbisstreifen in einer einzigen Schicht auf das vorbereitete Backblech. Braten Sie die Streifen etwa 20 Minuten lang und wenden Sie sie nach der Hälfte der Zeit.*
4. *Aus dem Ofen nehmen und auf Tellern servieren.*

Ernährung:

78 Kalorien

11,8g Kohlenhydrate

2,1g Ballaststoffe

Gebratener Spargel und rote Paprika

Zubereitungszeit: 5 Minuten

Kochzeit: 15 Minuten

Portionieren: 4

Zutaten:

- 1 Pfund (454 g) Spargel
- 2 rote Paprikaschoten, entkernt
- 1 kleine Zwiebel
- 2 Esslöffel italienisches Dressing

Richtung:

1. *Ofen auf (205ºC) vorbereiten. Backblech mit Pergamentpapier umwickeln und beiseite stellen.*
2. *Kombinieren Sie den Spargel mit den Paprikaschoten, der Zwiebel und dem Dressing in einer großen Schüssel und schwenken Sie ihn gut.*
3. *Verteilen Sie das Gemüse auf dem Backblech und braten Sie es etwa 15 Minuten lang. Wenden Sie das Gemüse während des Garens einmal mit einem Spatel.*
4. *Auf eine große Platte übertragen und servieren.*

Ernährung:

92 Kalorien

10,7g Kohlenhydrate

4g Faser

Estragon Frühlingserbsen

Zubereitungszeit: 10 Minuten

Kochzeit: 12 Minuten

Portionieren: 6

Zutaten:

1 Esslöffel ungesalzene Butter

½ Vidalia-Zwiebel

1 Tasse natriumarme Gemüsebrühe

3 Tassen frische geschälte Erbsen

1 Esslöffel gehackter frischer Estragon

Wegbeschreibung:

1. *Butter in einer Pfanne bei mittlerer Hitze kochen.*
2. *Die Zwiebel in der geschmolzenen Butter ca. 3 Minuten anbraten, dabei gelegentlich umrühren.*
3. *Gießen Sie die Gemüsebrühe hinzu und verquirlen Sie sie gut. Geben Sie die Erbsen und den Estragon in die Pfanne und rühren Sie um.*

4. *Reduzieren Sie die Hitze auf niedrig, decken Sie sie ab und kochen Sie weitere 8 Minuten, oder bis die Erbsen weich sind.*
5. *Lassen Sie die Erbsen 5 Minuten abkühlen und servieren Sie sie warm.*

Ernährung:

82 Kalorien

12g Kohlenhydrate

3,8g Ballaststoffe

Butter-Orange Süßkartoffeln

Zubereitungszeit: 7 Minuten

Kochzeit: 45 Minuten

Portionieren: 8

Zutaten:

- 2 mittelgroße Juwelen Süßkartoffeln
- 2 Esslöffel ungesalzene Butter
- Saft von 1 großen Orange
- 1½ Teelöffel gemahlener Zimt
- ¼ Teelöffel gemahlener Ingwer
- ¾ Teelöffel gemahlene Muskatnuss
- 1/8 Teelöffel gemahlene Nelken

Richtung:

1. *Ofen auf 180ºC einstellen.*
2. *Ordnen Sie die Süßkartoffelwürfel auf einem umrandeten Backblech in einer einzigen Schicht an. Beiseite stellen.*
3. *Geben Sie die Butter, den Orangensaft, den Zimt, den Ingwer, die Muskatnuss und die Knoblauchzehen in einen mittelgroßen*

Kochtopf bei mittlerer bis niedriger Hitze. Kochen Sie 3 bis 5 Minuten unter ständigem Rühren.

4. *Löffeln Sie die Soße über die Süßkartoffeln und schwenken Sie sie, um sie gut zu überziehen.*
5. *Im vorbereiteten Backofen 40 Minuten backen.*
6. *Lassen Sie die Süßkartoffeln 8 Minuten lang auf dem Backblech abkühlen, bevor Sie sie herausnehmen und servieren.*

Ernährung:

129 Kalorien

24,7g Kohlenhydrate

5g Faser

Gebratene Tomate Rosenkohl

Zubereitungszeit: 15 Minuten

Kochzeit: 20 Minuten

Portionieren: 4

Zutaten:

- 1 Pfund (454 g) Rosenkohl
- 1 Esslöffel kaltgepresstes Olivenöl
- ½ Tasse sonnengetrocknete Tomaten
- 2 Esslöffel Zitronensaft
- 1 Teelöffel Zitronenschale

Wegbeschreibung:

1. *Stellen Sie den Ofen auf 205ºC ein. Bereiten Sie ein großes Backblech mit Alufolie vor.*
2. *Schwenken Sie den Rosenkohl in einer großen Schüssel im Olivenöl, bis er gut überzogen ist. Bestreuen Sie ihn mit Salz und Pfeffer.*
3. *Verteilen Sie den gewürzten Rosenkohl auf dem vorbereiteten Backblech in einer einzigen Schicht.*

4. *20 Minuten braten, nach der Hälfte der Zeit schütteln.*
5. *Aus dem Ofen nehmen und in eine Schüssel geben. Verquirlen Sie die Tomaten, den Zitronensaft und die Zitronenschale, um sie einzuarbeiten. Sofort servieren.*

Ernährung:

111 Kalorien

13,7g Kohlenhydrate

4,9g Ballaststoffe

Einfaches sautiertes Grünzeug

Zubereitungszeit: 10 Minuten

Kochzeit: 10 Minuten

Portionieren: 4

Zutaten:

- 2 Esslöffel kaltgepresstes Olivenöl
- 1 Pfund (454 g) Mangold
- 1 Pfund (454 g) Grünkohl
- ½ Teelöffel gemahlener Kardamom
- 1 Esslöffel Zitronensaft

Richtung:

1. *Erhitzen Sie das Olivenöl in einer großen Pfanne bei mittlerer bis hoher Hitze.*
2. *Rühren Sie Mangold, Grünkohl, Kardamom und Zitronensaft in die Pfanne und rühren Sie um. Unter ständigem Rühren ca. 10 Minuten kochen, bis das Grünzeug verwelkt ist.*
3. *Mit Salz und Pfeffer bestreuen und gut umrühren.*

4. *Servieren Sie das Grünzeug auf einem Teller, solange es warm ist.*

Ernährung:

139 Kalorien

15,8g Kohlenhydrate

3,9g Ballaststoffe

Knoblauchige Champignons

Zubereitungszeit: 10 Minuten

Kochzeit: 12 Minuten

Portionieren: 4

Zutaten:

- 1 Esslöffel Butter
- 2 Teelöffel kaltgepresstes Olivenöl
- 2 Pfund Champignons
- 2 Teelöffel gehackter frischer Knoblauch
- 1 Teelöffel gehackter frischer Thymian

Richtung:

1. *Erhitzen Sie Butter und Olivenöl in einer großen Pfanne bei mittlerer bis hoher Hitze.*
2. *Fügen Sie die Pilze hinzu und braten Sie sie 10 Minuten lang unter gelegentlichem Rühren an.*
3. *Rühren Sie den Knoblauch und den Thymian ein und kochen Sie weitere 2 Minuten.*
4. *Würzen und auf einem Teller servieren.*

Ernährung:

96 Kalorien

8,2g Kohlenhydrate

1,7g Ballaststoffe

Grüne Bohnen im Backofen

Zubereitungszeit: 5 Minuten

Zubereitungszeit: 17 Minuten

Portionieren: 3

Inhaltsstoffe

- 12 oz. grüne Bohnenschoten
- 1 Esslöffel Olivenöl
- 1/2 Teelöffel Zwiebelpulver
- 1/8 Teelöffel Pfeffer
- 1/8 Teelöffel Salz

Wegbeschreibung

1. *Heizen Sie den Ofen auf 350°F vor. Mischen Sie grüne Bohnen mit Zwiebelpulver, Pfeffer und Öl.*
2. *Verteilen Sie die Samen auf dem Backblech.*
3. *17 Minuten backen oder bis ein köstlicher Duft in der Küche liegt.*

Ernährung

37 Kalorien

1,4g Eiweiß

5,5g Kohlenhydrate

Parmesan gegrillte Flunder

Zubereitungszeit: 10 Minuten

Kochzeit: 7 Minuten

Portion: 2

Inhaltsstoffe

- 2 (4 Unzen) Flunder
- 1,5 Esslöffel Parmesankäse
- 1,5 Esslöffel Mayonnaise
- 1/8 Teelöffel Sojasauce
- 1/4 Teelöffel Chilisauce
- 1/8 Teelöffel salzfreies Zitronen-Pfeffer-Gewürz

Wegbeschreibung

1. *Flunder vorwärmen.*
2. *Käse, fettreduzierte Mayonnaise, Sojasauce, Chilisauce, Gewürze mischen.*
3. *Legen Sie den Fisch auf ein mit Kochspray beschichtetes Backblech und bestreuen Sie ihn mit Salz und Pfeffer.*
4. *Parmesanmischung auf der Flunder verteilen.*
5. *Grillen Sie 6 bis 8 Minuten oder bis eine Kruste auf dem Fisch erscheint.*

Ernährung

200 Kalorien

17g Fett

7g Kohlenhydrate

Fisch mit frischer Tomaten-Basilikum-Sauce

Zubereitungszeit: 10 Minuten

Kochzeit: 15 Minuten

Portion: 2

Inhaltsstoffe

- 2 (4 Unzen) Tilapia-Filets
- 1 Esslöffel frisches Basilikum, gehackt
- 1/8 Teelöffel Salz
- 1 Prise zerstoßener roter Pfeffer
- 1 Tasse Kirschtomaten, gehackt
- 2 Teelöffel natives Olivenöl extra

Wegbeschreibung

1. *Heizen Sie den Ofen auf 400°F vor.*
2. *Abgespülte und trocken getupfte Fischfilets auf Folie anrichten (ein Folienbackblech mit Kochspray bestreichen).*
3. *Tilapia-Filets mit Salz und rotem Pfeffer bestreuen.*
4. *12 - 15 Minuten backen.*

5. *Mischen Sie in der Zwischenzeit die restlichen Zutaten in einem Kochtopf.*
6. *Bei mittlerer bis hoher Hitze kochen, bis die Tomaten weich sind.*
7. *Fischfilets ordentlich mit der Tomatenmischung belegen.*

Ernährung

130 Kalorien

30g Eiweiß

1g Kohlenhydrate

Gebackenes Huhn

Zubereitungszeit: 15 Minuten

Kochzeit: 25 Minuten

Portionieren: 4

Inhaltsstoffe

- 2 (6-oz) Hähnchenbrüste mit Knochen
- 1/8 Teelöffel Salz
- 1/8 Teelöffel Pfeffer
- 3 Teelöffel natives Olivenöl extra
- 1/2 Teelöffel getrockneter Oregano
- 7 entsteinte Kalamata-Oliven
- 1 Tasse Kirschtomaten
- 1/2 Tasse Zwiebel
- 1 (9-oz) Pkg. gefrorene Artischockenherzen
- 1 Zitrone

Wegbeschreibung

1. *Heizen Sie den Ofen auf 400°F vor.*
2. *Das Hähnchen mit Pfeffer, Salz und Oregano bestreuen.*

3. *Öl erhitzen, Hähnchen hinzufügen und braten, bis es gebräunt ist.*
4. *Legen Sie das Hähnchen in eine Auflaufform. Tomaten, grob gehackte Oliven und in Spalten geschnittene Zwiebel, Artischocken und Zitrone um das Hähnchen herum anrichten.*
5. *20 Minuten backen oder bis das Hähnchen gar ist und das Gemüse zart ist.*

Ernährung:

160 Kalorien

3g Fett

1g Kohlenhydrate

Gebratenes Hähnchen mit gerötetem Gemüse

Zubereitungszeit: 20 Minuten

Kochzeit: 30 Minuten

Portion: 1

Inhaltsstoffe

- 1 (8-oz) entbeinte, hautlose Hähnchenbrust
- 3/4 lb. kleiner Rosenkohl
- 2 große Möhren
- 1 große rote Paprika
- 1 kleine rote Zwiebel
- 2 halbierte Knoblauchzehen
- 2 Esslöffel natives Olivenöl extra
- 1/2 Teelöffel getrockneter Dill
- 1/4 Teelöffel Pfeffer
- 1/4 Teelöffel Salz

Wegbeschreibung

1. *1. den Ofen auf 425°F vorheizen.*

2. *Legen Sie halbierten Rosenkohl, in Spalten geschnittene rote Zwiebel, in Scheiben geschnittene Möhren, in Stücke geschnittene Paprika und halbierten Knoblauch auf ein Backblech.*
3. *Mit 1 EL Öl beträufeln und mit 1/8 TL Salz und 1/8 TL Pfeffer bestreuen. Backen, bis sie gut geröstet sind, leicht abkühlen lassen.*
4. *In der Zwischenzeit das Hähnchen mit Dill, dem restlichen 1/8 TL Salz und 1/8 TL Pfeffer bestreuen. Kochen, bis das Hähnchen gar ist. Gebratenes Gemüse mit Bratfett über das Hähnchen geben.*

Ernährung

170 Kalorien

7g Fett

12g Eiweiß

Fisch in Tomaten-Paprika-Sauce gedünstet

Zubereitungszeit: 5 Minuten

Kochzeit: 10 Minuten

Portion: 2

Inhaltsstoffe

- 2 (4 Unzen) Kabeljaufilets
- 1 große Tomate
- 1/3 Tasse rote Paprika (geröstet)
- 3 Esslöffel Mandeln
- 2 Knoblauchzehen
- 2 Esslöffel frische Basilikumblätter
- 2 Esslöffel natives Olivenöl extra
- 1/4 Teelöffel Salz
- 1/8 Teelöffel Pfeffer

Wegbeschreibung

1. *Geriebene Mandeln in einer Pfanne rösten, bis sie duften.*

2. *Mandeln, Basilikum, gehackten Knoblauch, 1-2 TL Öl in einer Küchenmaschine fein mahlen.*
3. *Grob zerkleinerte Tomate und rote Paprika hinzugeben; mahlen, bis alles glatt ist.*
4. *Fisch mit Salz und Pfeffer würzen.*
5. *In heißem Öl in einer großen Pfanne bei mittlerer Hitze braten, bis der Fisch gebräunt ist. Sauce um den Fisch gießen. Weitere 6 Minuten braten.*

Ernährung

90 Kalorien

5g Fett

7g Kohlenhydrate

Käse-Kartoffel-Erbsen-Auflauf

Zubereitungszeit: 10 Minuten

Zubereitungszeit: 35 Minuten

Portionieren: 3

Inhaltsstoffe

- 1 Esslöffel Olivenöl
- ¾ lb. rote Kartoffeln
- ¾ Tasse grüne Erbsen
- ½ Tasse rote Zwiebel
- ¼ Teelöffel getrockneter Rosmarin
- ¼ Teelöffel Salz
- 1/8 Teelöffel Pfeffer

Richtung

1. *Bereiten Sie den Ofen auf 350°F vor.*
2. *1 Teelöffel Öl in einer Pfanne erhitzen. Dünn geschnittene Zwiebeln einrühren und garen. Aus der Pfanne nehmen.*
3. *Die Hälfte der in dünne Scheiben geschnittenen Kartoffeln und Zwiebeln auf den Boden der Pfanne legen; Erbsen,*

zerstoßenen getrockneten Rosmarin und je 1/8 Teelöffel Salz und Pfeffer darüber geben.

4. *Restliche Kartoffeln und Zwiebeln darauf legen. Mit restlichem 1/8 Teelöffel Salz würzen.*
5. *35 Minuten backen, mit den restlichen 2 Teelöffeln Öl beträufeln und mit Käse bestreuen.*

Ernährung

80 Kalorien

2g Eiweiß

18g Kohlenhydrate

Im Ofen gebratener Tilapia

Zubereitungszeit: 7 Minuten

Kochzeit: 15 Minuten

Portion: 2

Inhaltsstoffe

- 2 (4 Unzen) Tilapia-Filets
- 1/4 Tasse gelbes Maismehl
- 2 Esslöffel leichtes Ranch-Dressing
- 1 Esslöffel Rapsöl
- 1 Teelöffel Dill (getrocknet)
- 1/8 Teelöffel Salz

Wegbeschreibung

1. *Heizen Sie den Ofen auf 425°F vor. Bestreichen Sie beide Seiten der abgespülten und trocken getupften Tilapia-Fischfilets mit dem Dressing.*
2. *Kombinieren Sie Maismehl, Öl, Dill und Salz.*
3. *Fischfilets mit Maismehlmischung bestreuen.*
4. *Legen Sie den Fisch auf ein vorbereitetes Backblech.*
5. *15 Minuten backen.*

Ernährung

96 Kalorien

21g Eiweiß

2g Fett

Hähnchen mit Kokosnusssoße

Zubereitungszeit: 15 Minuten

Kochzeit: 20 Minuten

Portion: 2

Inhaltsstoffe

- 1/2 lb. Hühnerbrüste
- 1/3 Tasse rote Zwiebel
- 1 Esslöffel Paprika (geräuchert)
- 2 Teelöffel Speisestärke
- 1/2 Tasse leichte Kokosnussmilch
- 1 Teelöffel natives Olivenöl extra
- 2 Esslöffel frischer Koriander
- 1 (10-oz) Dose Tomaten und grüne Chilis
- 1/4 Tasse Wasser

Wegbeschreibung

1. *Hähnchen in kleine Würfel schneiden; mit 1,5 TL Paprika bestreuen.*
2. *Öl erhitzen, Hähnchen hinzufügen und 3 bis 5 Minuten braten.*

3. *Aus der Pfanne nehmen und die fein gehackte Zwiebel 5 Minuten braten.*
4. *Hähnchen wieder in die Pfanne geben. Tomaten, 1,5 Teelöffel Paprika und Wasser hinzufügen. Zum Kochen bringen und dann 4 Minuten köcheln lassen.*
5. *Mischen Sie Maisstärke und Kokosmilch; rühren Sie sie in die Hähnchenmischung und kochen Sie sie, bis sie gar ist.*
6. *Mit gehacktem Koriander bestreuen.*

Ernährung

200 Kalorien

13g Eiweiß

10g Fett

Fisch mit frischer Kräutersoße

Zubereitungszeit: 10 Minuten

Kochzeit: 10 Minuten

Portion: 2

Inhaltsstoffe

- 2 (4 Unzen) Kabeljaufilets
- 1/3 Tasse frischer Koriander
- 1/4 Teelöffel Kreuzkümmel
- 1 Esslöffel rote Zwiebel
- 2 Teelöffel natives Olivenöl extra
- 1 Teelöffel Rotweinessig
- 1 kleine Knoblauchzehe
- 1/8 Teelöffel Salz
- 1/8 schwarzer Pfeffer

Wegbeschreibung

1. *Kombinieren Sie gehackten Koriander, fein gehackte Zwiebel, Öl, Rotweinessig, gehackten Knoblauch und Salz.*
2. *Bestreuen Sie beide Seiten der Fischfilets mit Kreuzkümmel und Pfeffer.*

3. *Filets 4 Minuten pro Seite garen. Jedes Filet mit der Koriandermischung belegen.*

Ernährung

90 Kalorien

4g Fett

3g Kohlenhydrate

Bratpfanne Truthahn-Pastetchen

Zubereitungszeit: 7 Minuten

Kochzeit: 8 Minuten

Portion: 2

Inhaltsstoffe

- 1/2 Pfund mageres Putenhackfleisch
- 1/2 Tasse natriumarme Hühnerbrühe
- 1/4 Tasse rote Zwiebel
- 1/2 Teelöffel Worcestershire-Sauce
- 1 Teelöffel natives Olivenöl extra
- 1/4 Teelöffel Oregano (getrocknet)
- 1/8 Teelöffel Pfeffer

Wegbeschreibung

1. *Truthahn, gehackte Zwiebel, Worcestershire-Sauce, getrockneten Oregano und Pfeffer vermengen; 2 Patties formen.*
2. *Öl erhitzen und Patties 4 Minuten pro Seite braten; beiseite stellen.*
3. *Brühe in die Pfanne geben, zum Kochen bringen. 2 Minuten kochen, Sauce über die Patties löffeln.*

Ernährung

180 Kalorien

11g Fett

9g Kohlenhydrate

Truthahn-Hackbraten

Zubereitungszeit: 10 Minuten

Kochzeit: 50 Minuten

Portion: 2

Inhaltsstoffe

- 1/2 Pfund 93% mageres Putenfleisch
- 1/3 Tasse Panko-Paniermehl
- 1/2 Tasse grüne Zwiebel
- 1 Ei
- 1/2 Tasse grüne Paprika
- 1 Esslöffel Ketchup
- 1/4 Tasse Sauce (Picante)
- 1/2 Teelöffel Kreuzkümmel (gemahlen)

Wegbeschreibung

1. *Heizen Sie den Ofen auf 350°F vor. Mageres Putenhackfleisch, 3 EL Picante-Sauce, Panko-Paniermehl, Ei, gehackte grüne Zwiebel, gehackte grüne Paprika und Kreuzkümmel in einer Schüssel mischen (gut durchmischen);*

2. *Die Mischung auf ein Backblech geben; zu einem Oval formen (ca. 1,5 cm dick). 45 Minuten backen.*
3. *Die restliche Picante-Sauce und den Ketchup mischen; über den Laib geben. 5 Minuten länger backen. 5 Minuten stehen lassen.*

Ernährung

161 Kalorien

20g Eiweiß

8g Fett

Nudeln mit Pilzen

Zubereitungszeit: 7 Minuten

Kochzeit: 10 Minuten

Portionieren: 4

Inhaltsstoffe

- 4 oz Vollkorn-Linguine
- 1 Teelöffel natives Olivenöl extra
- 1/2 Tasse helle Sauce
- 2 Esslöffel grüne Zwiebel
- 1 (8-oz) Pkg. Champignons
- 1 Knoblauchzehe
- 1/8 Teelöffel Salz
- 1/8 Teelöffel Pfeffer

Wegbeschreibung

1. *Nudeln nach Packungsanweisung kochen, abtropfen lassen.*
2. *Geschnittene Champignons 4 Minuten braten.*
3. *Gehackten Knoblauch, Salz und Pfeffer unter die Fettuccine rühren. 2 Minuten kochen.*

4. *Erhitzen Sie die helle Soße, bis sie heiß ist; übergießen Sie die Nudelmischung ordentlich mit der Soße und mit der fein gehackten grünen Zwiebel.*

Ernährung

300 Kalorien

1g Fett

15g Kohlenhydrate

Huhn Tikka Masala

Zubereitungszeit: 5 Minuten

Kochzeit: 15 Minuten

Portion: 2

Inhaltsstoffe

- 1/2 lb. Hühnerbrüste
- 1/4 Tasse Zwiebel
- 1,5 Teelöffel natives Olivenöl extra
- 1 (14,5 Unzen) Dose Tomaten
- 1 Teelöffel Ingwer
- 1 Teelöffel frischer Zitronensaft
- 1/3 Tasse normaler griechischer Joghurt (fettfrei)
- 1 Esslöffel Garam Masala
- 1/4 Teelöffel Salz
- 1/4 Teelöffel Pfeffer

Wegbeschreibung

1. *In 1-Zoll-Würfel geschnittenes Hähnchen mit 1,5 TL Garam Masala, 1/8 TL Salz und Pfeffer würzen.*

2. *Hähnchen und Zwiebelwürfel 4 bis 5 Minuten kochen.*
3. *Tomatenwürfel, geriebenen Ingwer, 1,5 TL Garam Masala, 1/8 TL Salz hinzufügen. 8 bis 10 Minuten kochen.*
4. *Fügen Sie Zitronensaft und Joghurt hinzu, bis alles vermengt ist.*

Ernährung

200 Kalorien

26g Eiweiß

10g Fett

Gebratener Kabeljau mit Tomate

Zubereitungszeit: 10 Minuten

Zubereitungszeit: 35 Minuten

Portion: 2

Inhaltsstoffe

- 2 (4 Unzen) Kabeljaufilets
- 1 Tasse Kirschtomaten
- 2/3 Tasse Zwiebel
- 2 Teelöffel Orangenschalen
- 1 Esslöffel natives Olivenöl extra
- 1 Teelöffel Thymian (getrocknet)
- 1/4 Teelöffel Salz, geteilt
- 1/4 Teelöffel Pfeffer, geteilt

Wegbeschreibung

1. *Heizen Sie den Ofen auf 400°F vor. Halbe Tomaten, geschnittene Zwiebel, geriebene Orangenschale, natives Olivenöl extra, getrockneten Thymian und 1/8 Salz und Pfeffer untermischen. 25 Minuten braten. Aus dem Ofen nehmen.*

2. *Fisch in der Pfanne anrichten und mit je 1/8 TL Salz und Pfeffer würzen. Reservierte Tomatenmischung über den Fisch geben. 10 Minuten backen.*

Ernährung

120 Kalorien

9g Eiweiß

2g Fett

Meeresfrüchte-Rezepte

Zitroniger Lachs

Zubereitungszeit: 10 Minuten

Kochzeit: 3 Minuten

Portionen: 3

Zutaten:

- 1 Pfund Lachsfilet, in 3 Stücke geschnitten
- 3 Teelöffel frischer Dill, gehackt
- 5 Esslöffel frischer Zitronensaft, geteilt
- Salz und gemahlener schwarzer Pfeffer, je nach Bedarf

Wegbeschreibung:

1. Legen Sie einen Dämpfuntersatz in den Instant Pot und gießen Sie ¼ Tasse Zitronensaft ein.
2. Würzen Sie den Lachs gleichmäßig mit Salz und schwarzem Pfeffer.
3. Legen Sie die Lachsstücke mit der Hautseite nach unten auf den Untersetzer und beträufeln Sie sie mit dem restlichen Zitronensaft.

4. Bestreuen Sie nun die Lachsstücke gleichmäßig mit Dill.
5. Schließen Sie den Deckel und stellen Sie das Druckventil auf die Position "Seal".
6. Drücken Sie "Dampf" und verwenden Sie die Standardzeit von 3 Minuten.
7. Drücken Sie "Abbrechen" und lassen Sie eine "natürliche" Freigabe zu.
8. Öffnen Sie den Deckel und servieren Sie heiß.

Ernährung: Kalorien: 20 Fette: 9.6g, Kohlenhydrate: 1.1g, Zucker: 0.5g, Proteine: 29.7g, Natrium: 74mg

Shrimps mit grünen Bohnen

Zubereitungszeit: 10 Minuten

Kochzeit: 2 Minuten

Portionen: 4

Zutaten:

- ¾ Pfund frische grüne Bohnen, geputzt
- 1 Pfund mittelgroße gefrorene Garnelen, geschält und entdarmt
- 2 Esslöffel frischer Zitronensaft
- 2 Esslöffel Olivenöl
- Salz und gemahlener schwarzer Pfeffer, je nach Bedarf

Wegbeschreibung:

1. Stellen Sie einen Dämpfeinsatz in den Instant Pot und gießen Sie eine Tasse Wasser ein.
2. Ordnen Sie die grünen Bohnen in einer einzigen Schicht auf dem Untersetzer an und legen Sie die Garnelen darauf.
3. Mit Öl und Zitronensaft beträufeln.
4. Mit Salz und schwarzem Pfeffer bestreuen.
5. Schließen Sie den Deckel und stellen Sie das Druckventil auf die Position "Seal".

6. Drücken Sie "Dampf" und verwenden Sie einfach die Standardzeit von 2 Minuten.
7. Drücken Sie "Abbrechen" und lassen Sie eine "natürliche" Freigabe zu.
8. Öffnen Sie den Deckel und servieren Sie.
9. Ernährung: Kalorien: 223, Fette: 1g, Kohlenhydrate: 7.9g, Zucker: 1.4g, Proteine: 27.4g, Natrium: 322mg

Krabben-Curry

Zubereitungszeit: 10 Minuten

Kochzeit: 20 Minuten

Portionen: 2

Zutaten:

- 0,5 Pfund gehackte Krabben
- 1 rote Zwiebel, in dünne Scheiben geschnitten
- 0,5 Tasse gehackte Tomate
- 3 Esslöffel Currypaste
- 1 Esslöffel Öl oder Ghee

Wegbeschreibung:

1. Stellen Sie den Instant Pot auf Anbraten und fügen Sie die Zwiebel, das Öl und die Currypaste hinzu.
2. Wenn die Zwiebel weich ist, fügen Sie die restlichen Zutaten hinzu und verschließen Sie sie.
3. Kochen Sie 20 Minuten lang auf "Stew".
4. Lassen Sie den Druck auf natürliche Weise ab.
5. Ernährung: Kalorien: 2;Kohlenhydrate: 11;Zucker: 4;Fett: 10;Eiweiß: 24;GL: 9

Gemischte Sülze

Zubereitungszeit: 10 Minuten

Kochzeit: 35 Minuten

Portionen: 2

Zutaten:

- 1lb Fischeintopf-Mischung
- 2 Tassen weiße Sauce
- 3 Esslöffel altes Lorbeergewürz

Wegbeschreibung:

1. Mischen Sie alle Zutaten in Ihrem Instant Pot.
2. Garen Sie auf Stew für 35 Minuten.
3. Lassen Sie den Druck auf natürliche Weise ab.

Ernährung: Kalorien: 320; Kohlenhydrate: 9; Zucker: 2; Fett: 16; Eiweiß: GL: 4

Muscheln in Tomatensoße

Zubereitungszeit: 10 Minuten

Kochzeit: 3 Minuten

Portionen: 4

Zutaten:

- 2 Tomaten, entkernt und fein gewürfelt
- 2 Pfund Miesmuscheln, geschrubbt und entgrätet
- 1 Tasse natriumarme Hühnerbrühe
- 1 Esslöffel frischer Zitronensaft
- 2 Knoblauchzehen, gehackt

Wegbeschreibung:

1. Geben Sie die Tomaten, den Knoblauch, den Wein und das Lorbeerblatt in den Topf des Instant Pot und rühren Sie um, um sie zu kombinieren.
2. Ordnen Sie die Muscheln darauf an.
3. Schließen Sie den Deckel und stellen Sie das Druckventil auf die Position "Seal".
4. Drücken Sie "Manuell" und kochen Sie unter "Hochdruck" für ca. 3 Minuten.
5. Drücken Sie "Abbrechen" und lassen Sie vorsichtig ein "Quick" los.

6. Öffnen Sie den Deckel und servieren Sie heiß.

Ernährung: Kalorien: 213, Fette: 25,2g, Kohlenhydrate: 11g, Zucker: 1, Proteine: 28,2g, Natrium: 670mg

Zitrus Lachs

Zubereitungszeit: 10 Minuten

Kochzeit: 7 Minuten

Portionen: 4

Zutaten:

- 4 (4 Unzen) Lachsfilets
- 1 Tasse natriumarme Hühnerbrühe
- 1 Teelöffel frischer Ingwer, gehackt
- 2 Teelöffel frische Orangenschale, fein gerieben
- 3 Esslöffel frischer Orangensaft
- 1 Esslöffel Olivenöl
- Gemahlener schwarzer Pfeffer, nach Bedarf

Wegbeschreibung:

1. Geben Sie alle Zutaten in den Instant Pot und mischen Sie sie.
2. Schließen Sie den Deckel und stellen Sie das Druckventil auf die Position "Seal".
3. Drücken Sie "Manuell" und kochen Sie unter "Hochdruck" für ca. 7 Minuten.
4. Drücken Sie "Abbrechen" und lassen Sie eine "natürliche" Freigabe zu.

5. Öffnen Sie den Deckel und servieren Sie die Lachsfilets mit dem Topping der Kochsauce.

Ernährung: Kalorien: 190, Fette: 10,5 g, Kohlenhydrate: 1,8 g, Zucker: 1 g, Proteine: 22, Natrium: 68 mg

Gewürzlachs

Zubereitungszeit: 10 Minuten

Kochzeit: 3 Minuten

Portionen: 4

Zutaten:

- 4 (4 Unzen) Lachsfilets
- ¼ Tasse Olivenöl
- 2 Esslöffel frischer Zitronensaft
- 1 Knoblauchzehe, gehackt
- ¼ Teelöffel getrockneter Oregano
- Salz und gemahlener schwarzer Pfeffer, je nach Bedarf
- 4 frische Rosmarinzweige
- 4 Zitronenscheiben

Wegbeschreibung:

1. Für das Dressing: In einer großen Schüssel Öl, Zitronensaft, Knoblauch, Oregano, Salz

und schwarzen Pfeffer verrühren, bis alles gut vermischt ist.

2. Legen Sie einen Dämpfaufsatz in den Instant Pot und gießen Sie 11/2 Tassen Wasser in den Instant Pot.
3. Legen Sie die Lachsfilets in einer einzigen Schicht auf den Untersetzer und geben Sie das Dressing darüber.
4. Legen Sie 1 Rosmarinzweig und 1 Zitronenscheibe auf jedes Filet.
5. Schließen Sie den Deckel und stellen Sie das Druckventil auf die Position "Seal".
6. Drücken Sie "Dampf" und verwenden Sie einfach die Standardzeit von 3 Minuten.
7. Drücken Sie "Abbrechen" und lassen Sie vorsichtig ein "Quick" los.
8. Öffnen Sie den Deckel und servieren Sie heiß.

Ernährung: Kalorien: 262, Fette: 17g, Kohlenhydrate: 0,7g, Zucker: 0,2g, Proteine: 22,1g, Natrium: 91mg

Lachs in Grüner Soße

Zubereitungszeit: 10 Minuten

Kochzeit: 12 Minuten

Portionen: 4

Zutaten:

- 4 (6 Unzen) Lachsfilets
- 1 Avocado, geschält, entkernt und gewürfelt
- 1/2 Tasse frisches Basilikum, gehackt
- 3 Knoblauchzehen, gehackt
- 1 Esslöffel frische Zitronenschale, fein gerieben

Wegbeschreibung:

1. Fetten Sie ein großes Stück Folie ein.
2. Geben Sie alle Zutaten außer Lachs und Wasser in eine große Schüssel und zerdrücken Sie sie mit einer Gabel vollständig.
3. Legen Sie die Filets in die Mitte der Folie und verteilen Sie die Avocadomischung gleichmäßig darauf.
4. Falten Sie die Folie um die Filets, um sie zu verschließen.
5. Legen Sie einen Dämpfaufsatz in den Instant Pot und gießen Sie 1/2 Tasse Wasser ein.

6. Legen Sie das Folienpaket oben auf den Untersetzer.
7. Schließen Sie den Deckel und stellen Sie das Druckventil auf die Position "Seal".
8. Drücken Sie "Manuell" und kochen Sie unter "Hochdruck" für ca. Minuten.
9. In der Zwischenzeit heizen Sie den Ofen auf Broiler vor.
10. Drücken Sie "Abbrechen" und lassen Sie eine "natürliche" Freigabe zu.
11. Öffnen Sie den Deckel und geben Sie die Lachsfilets auf eine Broilerpfanne.
12. Etwa 3-4 Minuten grillen.
13. Warm servieren.

Ernährung: Kalorien: 333, Fette: 20.3g, Kohlenhydrate: 5.5g, Zucker: 0.4g, Proteine: 34.2g, Natrium: 79mg

Geschmorte Garnele

Zubereitungszeit: 10 Minuten

Kochzeit: 4 Minuten

Portionen: 4

Zutaten:

- 1 Pfund gefrorene große Garnelen, geschält und entdarmt
- 2 Schalotten, gehackt
- ¾ Tasse natriumarme Hühnerbrühe
- 2 Esslöffel frischer Zitronensaft
- 2 Esslöffel Olivenöl
- 1 Esslöffel Knoblauch, zerdrückt
- Gemahlener schwarzer Pfeffer, nach Bedarf

Wegbeschreibung:

1. Geben Sie Öl in den Instant Pot und drücken Sie "Sauté". Nun die Schalotten hinzugeben und ca. 2 Minuten dünsten.
2. Fügen Sie den Knoblauch hinzu und kochen Sie ihn etwa 1 Minute lang.
3. Drücken Sie "Abbrechen" und rühren Sie die Garnelen, die Brühe, den Zitronensaft und den schwarzen Pfeffer ein.

4. Schließen Sie den Deckel und stellen Sie das Druckventil auf die Position "Seal".
5. Drücken Sie "Manuell" und kochen Sie unter "Hochdruck" für ca. 1 Minute.
6. Drücken Sie "Abbrechen" und lassen Sie vorsichtig ein "Quick" los.
7. Öffnen Sie den Deckel und servieren Sie heiß.

Ernährung: Kalorien: 209, Fette: 9g, Kohlenhydrate: 4.3g, Zucker: 0.2g, Proteine: 26.6g, Natrium: 293mg

Shrimp-Kokosnuss-Curry

Zubereitungszeit: 10 Minuten

Kochzeit: 20 Minuten

Portionen: 2

Zutaten:

- 0,5 lb gekochte Garnelen
- 1 dünn geschnittene Zwiebel
- 1 Tasse Kokosnuss-Joghurt
- 3 Esslöffel Currypaste
- 1 Esslöffel Öl oder Ghee

Wegbeschreibung:

1. Stellen Sie den Instant Pot auf Anbraten und fügen Sie die Zwiebel, das Öl und die Currypaste hinzu.
2. Wenn die Zwiebel weich ist, fügen Sie die restlichen Zutaten hinzu und verschließen Sie sie.
3. Kochen Sie 20 Minuten lang auf "Stew".
4. Lassen Sie den Druck auf natürliche Weise ab.

Ernährung: Kalorien: 380; Kohlenhydrate: 13; Zucker: 4; Fett: 22; Eiweiß: 40; GL: 14

Forelle backen

Zubereitungszeit: 10 Minuten

Kochzeit: 35 Minuten

Portionen: 2

Zutaten:

- 1 lb Forellenfilets, ohne Gräten
- 1 Pfund gehacktes Wintergemüse
- 1 Tasse natriumarme Fischbrühe
- 1 Esslöffel gemischte Kräuter
- Meersalz nach Belieben

Wegbeschreibung:

1. Mischen Sie alle Zutaten außer der Brühe in einem Folienbeutel.
2. Legen Sie den Beutel in den Dämpfkorb Ihres Instant Pot.
3. Gießen Sie die Brühe in den Instant Pot.
4. Garen Sie 35 Minuten lang auf Dampf.
5. Lassen Sie den Druck auf natürliche Weise ab.

Ernährung: Kalorien: 310; Kohlenhydrate: 14; Zucker: 2; Fett: 12; Eiweiß: 40; GL: 5

Sardinen-Curry

Zubereitungszeit: 10 Minuten

Kochzeit: 35 Minuten

Portionen: 2

Zutaten:

- 5 Dosen Sardinen in Tomate
- 1lb gehacktes Gemüse
- 1 Tasse natriumarme Fischbrühe
- 3 Esslöffel Currypaste

Wegbeschreibung:

1. Mischen Sie alle Zutaten in Ihrem Instant Pot.
2. Garen Sie auf Stew für 35 Minuten.
3. Lassen Sie den Druck auf natürliche Weise ab.

Ernährung: Kalorien: 320; Kohlenhydrate: 8; Zucker: 2; Fett: 16; Eiweiß: GL: 3

Schwertfisch Steak

Zubereitungszeit: 10 Minuten

Kochzeit: 35 Minuten

Portionen: 2

Zutaten:

- 1 lb Schwertfischsteak, ganz
- 1 Pfund gehacktes mediterranes Gemüse
- 1 Tasse natriumarme Fischbrühe
- 2 Esslöffel Sojasauce

Wegbeschreibung:

1. Mischen Sie alle Zutaten außer der Brühe in einem Folienbeutel.
2. Legen Sie den Beutel in den Dämpfkorb Ihres Instant Pot.
3. Gießen Sie die Brühe in den Instant Pot. Senken Sie den Dämpfkorb in den Instant Pot.
4. Garen Sie 35 Minuten lang auf Dampf.
5. Lassen Sie den Druck auf natürliche Weise ab.

Ernährung: Kalorien: 270; Kohlenhydrate: 5; Zucker: 1; Fett: 10; Eiweiß: 48; GL: 1

Zitronen Seezunge

Zubereitungszeit: 10 Minuten

Kochzeit: 5 Minuten

Portionen: 2

Zutaten:

- 1 lb Seezungenfilets, entgrätet und enthäutet
- 1 Tasse natriumarme Fischbrühe
- 2 geschredderte süße Zwiebeln
- Saft einer halben Zitrone
- 2 Esslöffel getrockneter Koriander

Wegbeschreibung:

1. Mischen Sie alle Zutaten in Ihrem Instant Pot.
2. 5 Minuten auf Stew kochen.
3. Lassen Sie den Druck auf natürliche Weise ab.

Ernährung: Kalorien: 230; Kohlenhydrate: Zucker: 1; Fett: 6; Eiweiß: 46; GL: 1

Thunfisch-Mais-Auflauf

Zubereitungszeit: 10 Minuten

Kochzeit: 35 Minuten

Portionen: 2

Zutaten:

- 3 kleine Dosen Thunfisch
- 0,5lb Zuckermais-Körner
- 1lb gehacktes Gemüse
- 1 Tasse natriumarme Gemüsebrühe
- 2 Esslöffel pikante Würze

Wegbeschreibung:

1. Mischen Sie alle Zutaten in Ihrem Instant Pot.
2. Garen Sie auf Stew für 35 Minuten.
3. Lassen Sie den Druck auf natürliche Weise ab.

Ernährung: Kalorien: 300;Kohlenhydrate: 6;Zucker: 1;Fett: 9;Eiweiß:;GL: 2

Zitronen-Pfeffer-Lachs

Zubereitungszeit: 10 Minuten

Kochzeit: 10 Minuten

Portionen: 4

Zutaten:

- 3 Esslöffel Ghee oder Avocadoöl
- 1 Pfund Lachsfilet mit Haut
- 1 rote Paprika in Juliennescheiben
- 1 julliennierte grüne Zucchini
- 1 julliennierte Karotte
- ¾ Tasse Wasser
- Ein paar Zweige Petersilie, Estragon, Dill, Basilikum oder eine Kombination
- 1/2 geschnittene Zitrone
- 1/2 Teelöffel schwarzer Pfeffer
- ¼ Teelöffel Meersalz

Wegbeschreibung:

1. Geben Sie das Wasser und die Kräuter in den Boden des Instant Pot und setzen Sie einen Drahtdampfeinsatz ein, wobei Sie darauf achten, dass die Griffe nach oben ragen.
2. Legen Sie das Lachsfilet mit der Hautseite nach unten auf das Gitterrost.

3. Den Lachs mit Ghee beträufeln, mit schwarzem Pfeffer und Salz würzen und mit den Zitronenscheiben belegen.
4. Schließen und versiegeln Sie den Instant Pot und stellen Sie sicher, dass die Entlüftung auf "Sealing" (Versiegeln) eingestellt ist.
5. Wählen Sie die Einstellung "Dämpfen" und garen Sie 3 Minuten lang.
6. Während der Lachs gart, das Gemüse in Julienne schneiden und beiseite stellen.
7. Lassen Sie danach schnell den Druck ab und drücken Sie dann die Taste "Warmhalten/Abbrechen".
8. Decken Sie den Deckel ab und nehmen Sie den Dämpfeinsatz mit dem Lachs vorsichtig mit Topflappen heraus.
9. Entfernen Sie die Kräuter und entsorgen Sie sie.
10. Geben Sie das Gemüse in den Topf und setzen Sie den Deckel wieder auf.
11. Wählen Sie die Funktion "Sauté" und kochen Sie 1-2 Minuten.

12. Servieren Sie das Gemüse mit Lachs und geben Sie das restliche Fett in den Topf.
13. Gießen Sie nach Belieben etwas von der Sauce über den Fisch und das Gemüse.

Ernährung: Kalorien 296, Kohlenhydrate 8 g, Fett 15 g, Eiweiß 31 g, Kalium (K) 1084 mg, Natrium (Na) 284 mg

Gebackener Lachs mit Knoblauch-Parmesan-Belag

Zubereitungszeit: 5 Minuten,

Garzeit: 20 Minuten,

Portionen: 4

Zutaten:

- 1 lb. wild gefangene Lachsfilets
- 2 Esslöffel Margarine
- Was Sie aus dem Vorratsschrank benötigen:
- ¼ Tasse fettarmer Parmesankäse, gerieben
- ¼ Tasse leichte Mayonnaise
- 2-3 Zehen Knoblauch, gewürfelt
- 2 Esslöffel Petersilie
- Salz und Pfeffer

Wegbeschreibung:

1. Heizen Sie den Ofen auf 350 °C und legen Sie ein Backblech mit Pergamentpapier aus.
2. Lachs auf die Pfanne legen und mit Salz und Pfeffer würzen.
3. In einer mittelgroßen Pfanne bei mittlerer Hitze die Butter schmelzen. Knoblauch

hinzufügen und unter Rühren 1 Minute braten.

4. Reduzieren Sie die Hitze auf niedrig und fügen Sie die restlichen Zutaten hinzu. Umrühren, bis alles geschmolzen und kombiniert ist.
5. Gleichmäßig auf dem Lachs verteilen und 15 Minuten für aufgetauten Fisch oder 20 Minuten für gefrorenen Fisch backen. Der Lachs ist fertig, wenn er sich mit einer Gabel leicht lösen lässt. Servieren.

Ernährung: Kalorien 408 Gesamt Kohlenhydrate 4g Protein 41g Fett 24g Zucker 1g Ballaststoffe 0g

Geschwärzte Garnele

Zubereitungszeit: 5 Minuten

Kochzeit: 5 Minuten

Portionen: 4

Zutaten:

- 1 1/2 Pfund Garnelen, schälen und entdarmt
- 4 Limettenspalten
- 4 Esslöffel Koriander, gehackt
- Was Sie aus dem Vorratsschrank benötigen:
- 4 Knoblauchzehen, gewürfelt
- 1 Esslöffel Chilipulver
- 1 Esslöffel Paprika
- 1 Esslöffel Olivenöl
- 2 Teelöffel Splenda brauner Zucker
- 1 Teelöffel Kreuzkümmel
- 1 Teelöffel Oregano
- 1 Teelöffel Knoblauchpulver
- 1 Teelöffel Salz
- 1/2 Teelöffel Pfeffer

Wegbeschreibung:

1. In einer kleinen Schüssel die Gewürze und den braunen Splenda-Zucker vermengen.

2. Erhitzen Sie das Öl in einer Pfanne bei mittlerer bis hoher Hitze. Garnelen in einer Schicht hinzufügen und 1-2 Minuten pro Seite braten.
3. Gewürze hinzufügen und unter Rühren 30 Sekunden kochen. Mit Koriander und einer Limettenspalte garniert servieren.

Ernährung: Kalorien 252 Gesamt-Kohlenhydrate 7g Netto-Kohlenhydrate 6g Protein 39g Fett 7g Zucker 2g Ballaststoffe 1g

Cajun Wels

Zubereitungszeit: 5 Minuten

Kochzeit: 15 Minuten

Portionen: 4

Zutaten:

- 4 (8 oz.) Welsfilets
- Was Sie aus dem Vorratsschrank benötigen:
- 2 Esslöffel Olivenöl
- 2 Teelöffel Knoblauchsalz
- 2 Teelöffel Thymian
- 2 Teelöffel Paprika
- 1/2 Teelöffel Cayennepfeffer
- 1/2 Teelöffel rote scharfe Sauce
- ¼ Teelöffel schwarzer Pfeffer
- Antihaft-Kochspray

Wegbeschreibung:

1. Heizen Sie den Ofen auf 450 Grad vor. Besprühen Sie eine 9x13-Zoll-Backform mit Kochspray.
2. In einer kleinen Schüssel alles außer dem Wels verquirlen. Bestreichen Sie beide Seiten der Filets mit der gesamten Gewürzmischung.

3. 10-13 Minuten backen oder bis der Fisch mit einer Gabel leicht zerfällt. Servieren.

Ernährung: Kalorien 366 Gesamt-Kohlenhydrate 0g Protein 35g Fett 24g Zucker 0g Ballaststoffe 0g

Cajun Flunder & Tomaten

Zubereitungszeit: 10 Minuten

Kochzeit: 15 Minuten

Portionen: 4

Zutaten:

- 4 Flunderfilets
- 2 1/2 Tassen Tomaten, gewürfelt
- ¾ Tasse Zwiebel, gewürfelt
- ¾ Tasse grüne Paprika, gewürfelt
- Was Sie aus dem Vorratsschrank benötigen:
- 2 Knoblauchzehen, fein gewürfelt
- 1 Esslöffel Cajun-Gewürz
- 1 Teelöffel Olivenöl

Wegbeschreibung:

1. Erhitzen Sie das Öl in einer großen Pfanne bei mittlerer bis hoher Hitze. Zwiebel und Knoblauch hinzufügen und 2 Minuten oder bis sie weich sind, kochen. Tomaten, Paprika und Gewürze hinzufügen und 2-3 Minuten kochen, bis die Tomaten weich werden.
2. Fisch darüber legen. Abdecken, Hitze auf mittlere Stufe reduzieren und 5-8 Minuten

kochen, oder bis der Fisch mit einer Gabel leicht zerfällt. Fisch auf Servierteller geben und mit Sauce übergießen.

Ernährung: Kalorien 194 Gesamt-Kohlenhydrate 8g Netto-Kohlenhydrate 6g Protein 32g Fett 3g Zucker 5g Ballaststoffe 2g

Cajun-Garnele & geröstetes Gemüse

Zubereitungszeit: 5 Minuten

Kochzeit: 15 Minuten

Portionen: 4

Zutaten:

- 1 lb. große Garnelen, geschält und entdarmt
- 2 Zucchinis, in Scheiben geschnitten
- 2 gelbe Kürbisse, in Scheiben geschnitten
- 1/2 Bund Spargel, in Drittel geschnitten
- 2 rote Paprika, in Würfel geschnitten
- Was Sie aus dem Vorratsschrank benötigen:
- 2 Esslöffel Olivenöl
- 2 Esslöffel Cajun-Gewürz
- Salz & Pfeffer, nach Geschmack

Wegbeschreibung:

1. Heizen Sie den Ofen auf 400 Grad vor.
2. Kombinieren Sie Garnelen und Gemüse in einer großen Schüssel. Fügen Sie Öl und Gewürze hinzu und schwenken Sie sie zum Überziehen.

3. Gleichmäßig auf einem großen Backblech verteilen und 15-20 Minuten backen, oder bis das Gemüse weich ist. Servieren.

Ernährung: Kalorien 251 Gesamt-Kohlenhydrate 13g Netto-Kohlenhydrate 9g Protein 30g Fett 9g Zucker 6g Ballaststoffe 4g

Koriander-Limette Gegrillte Garnele

Zubereitungszeit: 5 Minuten,

Kochzeit: 5 Minuten,

Portionen: 6

Zutaten:

- 1 1/2 Pfund große Garnelen roh, geschält, entdarmt mit Schwänzen
- Saft und Schale von 1 Limette
- 2 Esslöffel frischer Koriander, gehackt
- Was Sie aus dem Vorratsschrank benötigen:
- ¼ Tasse Olivenöl
- 2 Knoblauchzehen, fein gewürfelt
- 1 Teelöffel geräucherter Paprika
- ¼ Teelöffel Kreuzkümmel
- 1/2 Teelöffel Salz
- ¼ Teelöffel Cayennepfeffer

Wegbeschreibung:

1. Geben Sie die Garnelen in einen großen Ziploc-Beutel.
2. Die restlichen Zutaten in einer kleinen Schüssel mischen und über die Garnelen gießen. 20-30 Minuten marinieren lassen.

3. Heizen Sie den Grill auf. Spießen Sie die Garnelen auf und garen Sie sie 2 bis 3 Minuten pro Seite, bis sie Farbe annehmen. Achten Sie darauf, dass sie nicht überkochen. Mit Koriander garniert servieren.

Ernährung: Kalorien 317 Gesamt Kohlenhydrate 4g Protein 39g Fett 15g Zucker 0g Ballaststoffe 0g

Krabben Frittata

Zubereitungszeit: 10 Minuten

Kochzeit: 50 Minuten

Portionen: 4

Zutaten:

- 4 Eier
- 2 Tassen klumpiges Krabbenfleisch
- 1 Tasse halb-n-halb
- 1 Tasse grüne Zwiebeln, gewürfelt
- Was Sie aus dem Vorratsschrank benötigen:
- 1 Tasse fettarmer Parmesankäse, gerieben
- 1 Teelöffel Salz
- 1 Teelöffel Pfeffer
- 1 Teelöffel geräucherter Paprika
- 1 Teelöffel italienisches Gewürz
- Antihaft-Kochspray

Wegbeschreibung:

1. Heizen Sie den Ofen auf 350 Grad vor. Besprühen Sie eine 8-Zoll-Springform oder eine Kuchenplatte mit Kochspray.

2. In einer großen Schüssel die Eier und die Hälfte der Hälfte verquirlen. Gewürze und Parmesankäse hinzufügen und verrühren.
3. Die Zwiebeln und das Krabbenfleisch einrühren. In die vorbereitete Pfanne geben und 35-40 Minuten backen, bis die Eier fest sind und die Oberseite leicht gebräunt ist.
4. 10 Minuten abkühlen lassen, dann in Scheiben schneiden und warm oder bei Zimmertemperatur servieren.

Ernährung: Kalorien 276 Gesamt-Kohlenhydrate 5g Netto-Kohlenhydrate 4g Protein 25g Fett 17g Zucker 1g Ballaststoffe 1g